Denize Doğru

HELEN KELLOCK

Çeviren: Mukaddes Kutlu

ketebe

LARA

Lara sıcacık yatağına uzanmış, yorganına sarınmıştı.
Gözlerini kapattı, artık tatlı rüyalara dalma vaktiydi.

Ama ne kadar uğraştıysa da bir türlü uyuyamadı.
Ninesini öyle çok özlüyordu ki... İçindeki üzüntüyü
nasıl tarif edeceğini bile bilmiyordu.

Sahilde birlikte geçirdikleri o güzel pazar günlerini düşündü; ninesinin çilek kokusunu ve el ele tutuşup yürümelerini...

Bir süre sonra tüm bu düşünceler zihninden taşarak gözyaşlarına dönüştü.

LARA

Damlalar giderek arttı ve
tüm odayı doldurdu. Artık tek
bir damla için bile yer yoktu.

Gözyaşları önce odadan dışarı taştı, sonra da
onu sokağa taşıdı. Lara bildiği ve sevdiği
her şeyi geride bırakarak ilerledi.

MOLA KAFE
Umut Pastanesi
KAPALI

Ve çok çok uzaklara doğru yol aldı...

Ta ki denize ulaşana kadar...

Tek başına akıntıda sürüklenirken günler,
geceler, hatta haftalar geçip gitti.
Lara, onu mutlu ve güvende hissettiren
her şeyi bir bir unutuverdi.

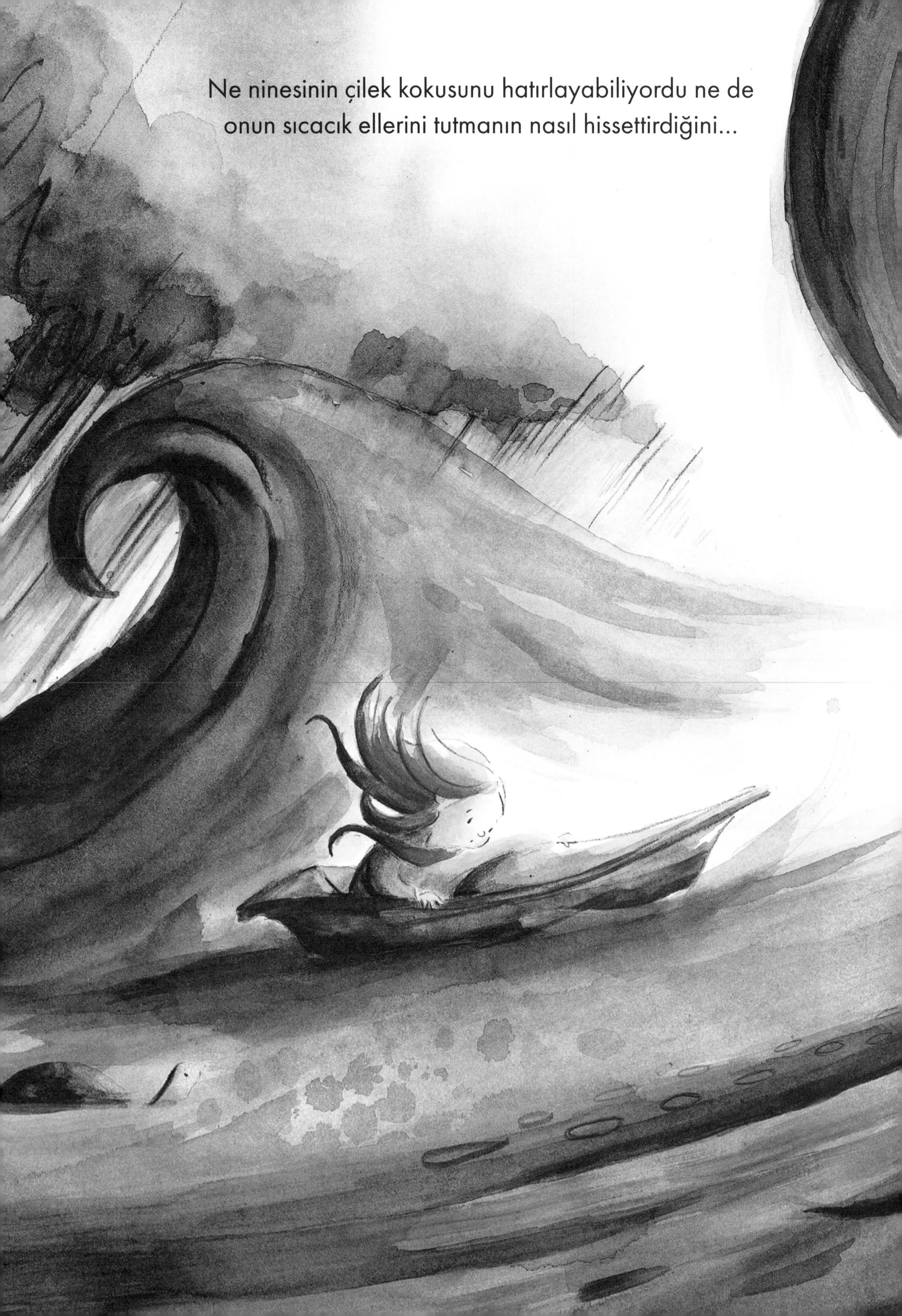

Ne ninesinin çilek kokusunu hatırlayabiliyordu ne de onun sıcacık ellerini tutmanın nasıl hissettirdiğini...

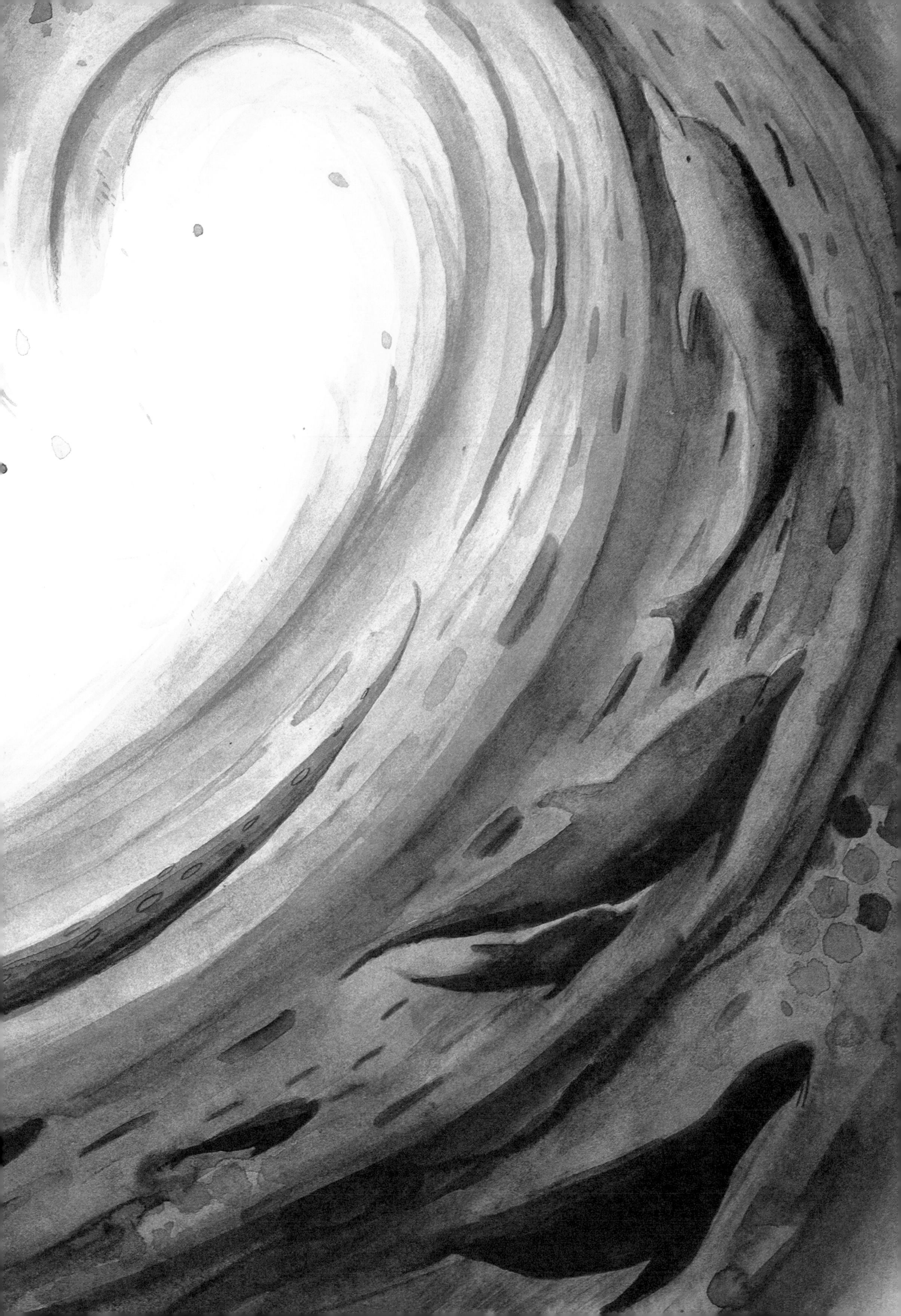

Geldiği yerde buz gibi bir denizden ve kocaman
dalgalardan başka hiçbir şey yoktu.

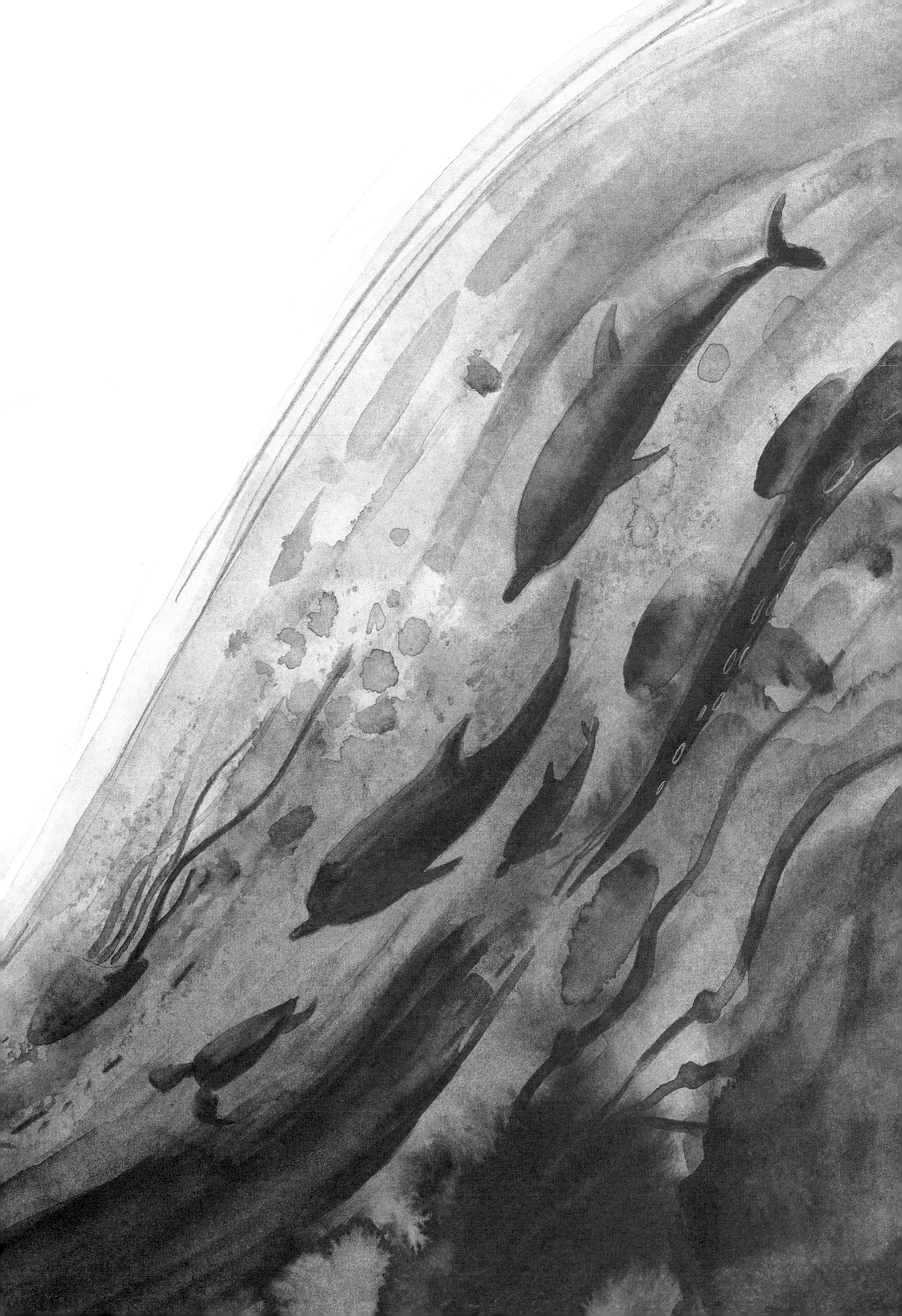

Ama sonra, okyanusun derinliklerinde
usulca parıldayan bir şey gördü.

Parlayan bir inci, Lara'yı bekliyordu.

Onu nazikçe parmaklarının
arasına aldı ve kalbine yaklaştırdı.

İşte tam da o an,
yukarıya doğru
baktığında yalnız
olmadığını gördü.

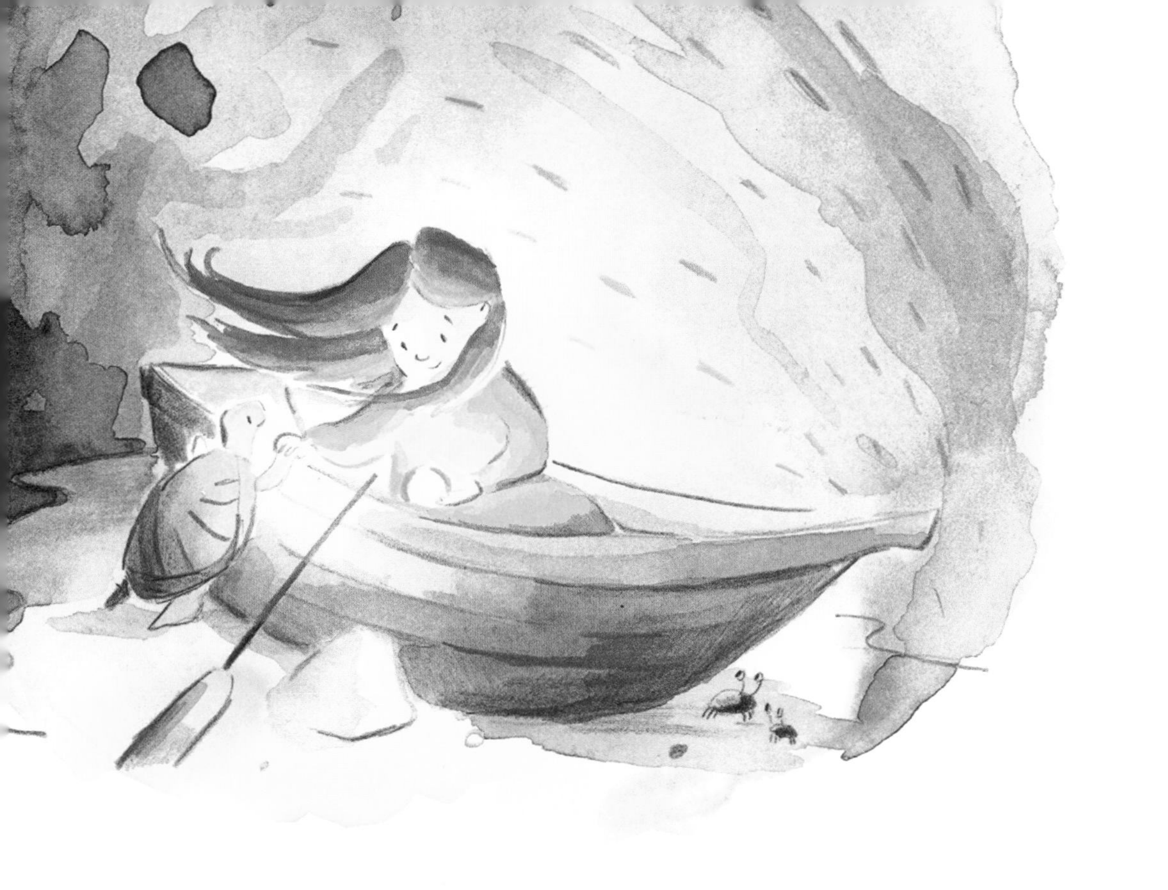

Hayatında hâlâ sevgiyle parıldayan şeyler olduğunu hatırladı. Bir anlığına ninesi gözünün önüne geldi ve yüzüne bir gülümseme yerleşti.

Daha sonra incisini cebine koydu ve eve gitmek üzere yola koyuldu.

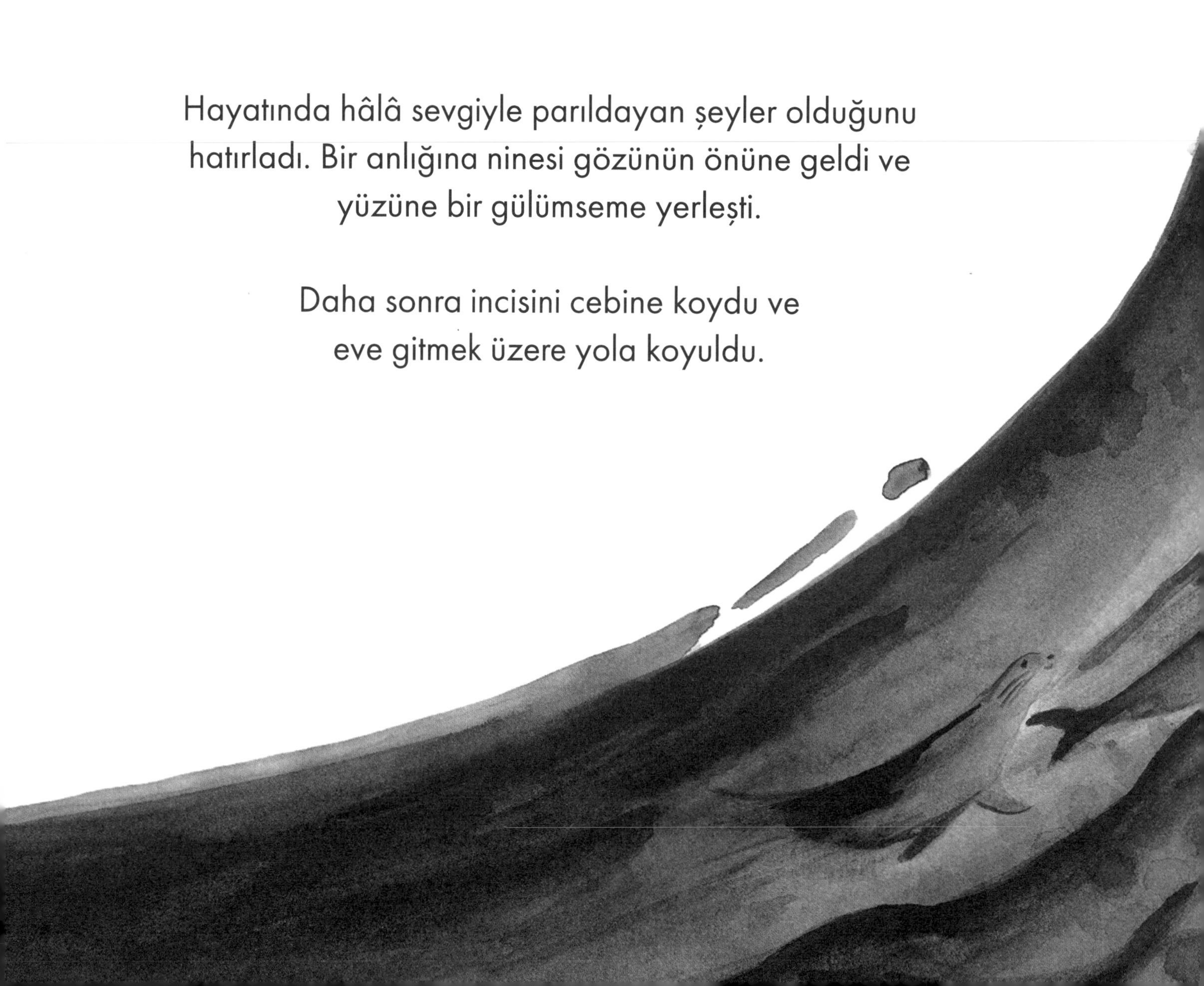

Bu, Lara'nın denizdeki son seferi olmayacaktı.
Başka uykusuz geceler ve hüzünlü vedalar da
yaşayacaktı.

Ancak artık yalnız olmadığını biliyordu.
Ve ne yaşanırsa yaşansın her zaman eve
dönmenin bir yolunu bulacaktı.

Ne zaman denize doğru yola çıksam
bana eşlik edenler için:
Wesley, Zara, Annem & Babam.

Ketebe Yayınları
Maltepe Mah. Fetih Cad. No: 6
Topkapı - Zeytinburnu - İstanbul
+90 (212) 467 36 00
www.ketebe.com.tr
iletisim@ketebe.com
Birinci Baskı: Haziran 2024
ISBN 978-625-6309-24-1
Ketebe Çocuk 144

Yazan ve Resimleyen: Helen Kellock
Özgün Adı: Out to Sea
Çeviren: Mukaddes Kutlu
Yayın Yönetmeni: Furkan Çalışkan
Proje Editörü: Feride Kurtulmuş
Yayıma Hazırlayan: Sare Esen
Tasarım: Nilgün Sönmez

Baskı:
Sertifika No. 45464
Yıkılmazlar Basım Yay. Prom. ve Kağıt San. Tic. Ltd. Şti.
15 Temmuz, Gülbahar Cd. No: 62/B
Güneşli / İstanbul Tel: 212 630 64 73